PERSONNAGES PRINCIPAUX

NARUTO UZUMAKI

SASUKE UCHIWA

SAKURA HARUNO

KAKASHI

IRUKA

LE TROISIÈME
MAÎTRE HOKAGE

L'HISTOIRE COMMENCE DANS LE VILLAGE CACHÉ DE KONOHA, OÙ VIT NARUTO, LE PIRE GARNEMENT DE L'ACADÉMIE DES NINJAS ! SON PASSE-TEMPS FAVORI EST DE FAIRE LES QUATRE-CENTS COUPS ! ET POURTANT, UN GRAND MYSTÈRE PLANE AUTOUR DE CE GARÇON... MIZUKI, UN PROFESSEUR QUI A MAL TOURNÉ, A ESSAYÉ D'UTILISER NOTRE HÉROS POUR S'EMPARER D'UN ROULEAU SECRET, ET C'EST PAR MIZUKI QUE NARUTO APPREND QU'UN TERRIBLE DÉMON-RENARD FUT EMPRISONNÉ DANS SON CORPS ALORS QU'IL N'ÉTAIT ENCORE QU'UN BÉBÉ. TOUTEFOIS, GRÂCE À IRUKA, QUI L'A PROTÉGÉ AU PÉRIL DE SA PROPRE VIE, NARUTO PREND CONSCIENCE DE SA VOCATION DE NINJA !

CEPENDANT, POUR DEVENIR UN VRAI NINJA, LA ROUTE EST LONGUE ET PARSEMÉE D'EMBÛCHES ! SASUKE, SAKURA ET NARUTO COMMENCENT PAR PASSER UN TEST: LE BUT EST DE S'EMPARER DE CLOCHETTES QUE DÉTIENT LE PROFESSEUR KAKASHI. CELUI-CI LEUR FAIT BIEN PRENDRE CONSCIENCE DE LEUR INFÉRIORITÉ ET DE LEUR MANQUE D'EXPÉRIENCE... IL FINIT MÊME PAR LEUR ANNONCER QU'ILS N'ONT AUCUNE CHANCE DE DEVENIR NINJAS!

RÉSUMÉ DU VOLUME PRÉCÉDENT

SOMMAIRE

VOUS NE DEVIENDREZ JAMAIS NINJAS.

VOUS FERIEZ MIEUX DE LAISSER TOMBER, TOUS LES TROIS.

8e ÉPISODE: RECALÉS !!

CE SONT LES RÉSULTATS DE TOUTES LES ÉQUIPES DONT IL A EU LA CHARGE JUSQU'À PRÉSENT.

TIENS, REGARDE CETTE LISTE...

FWP

flap

* CF LEXIQUE

EST-IL SÉVÈRE ...?

C'EST AU SUJET DU PROFESSEUR DE CLASSE SUPÉRIEURE QUI A PRIS EN CHARGE L'ÉQUIPE DE NARUTO

CETTE INVITATION À DÉJEUNER CACHE QUELQUE CHOSE... TU DOIS SÛREMENT AVOIR QUELQUE CHOSE À ME DEMANDER, IRUKA...

!!

QU... QUOI ?!

NINDÔ

TU VEUX PARLER DE KAKASHI ?

9

POURQUOI PENSEZ-VOUS QU'ON VOUS A RÉPARTIS EN ÉQUIPES...

... POUR FAIRE CE TEST?

VOUS CROYEZ QUE C'EST SI FACILE DE DEVENIR NINJA ?

HEIN ?

SCRRTT

... VOUS PASSEZ COMPLÈTEMENT À CÔTÉ DE LA MENTALITÉ QUI VOUS PERMETTRAIT DE PASSER CETTE ÉPREUVE...

CE QUE JE VEUX DIRE, C'EST QUE...

gnnn

OÙ VEUT-IL EN VENIR...

HEIN ?

ET BIEN...

INDIQUEZ-LA-NOUS, ALORS, CETTE MENTALITÉ !

... DÉTERMINE VOTRE RÉUSSITE OU VOTRE ÉCHEC À L'ÉPREUVE.

C'EST CETTE MENTA-LITÉ QUI...

LA MENTALITÉ ?

RRAAAAAAH ! Y EN A MARRE ! ÇA VIENT CETTE RÉPONSE ?!

...

AH ! LA LA...

...L'ESPRIT D'ÉQUIPE.

C'EST TOUT SIMPLE-MENT...

!

C'EST QUOI CETTE ARNA-QUE ?

SI VOUS M'AVIEZ ATTAQUÉ TOUS LES TROIS EN MÊME TEMPS, VOUS AURIEZ EU UNE PETITE CHANCE DE VOUS EMPARER DES CLOCHETTES.

!

!

IL Y EN A FORCÉMENT UN DE NOUS DONT LES EFFORTS N'AURAIENT PAS ÉTÉ RÉCOMPENSÉS !

CETTE PRÉTENDUE COLLABORATION N'AURAIT ENGENDRÉ QUE DES DISPUTES !

COMMENT VOULEZ-VOUS QU'ON COLLABORE ALORS QU'IL N'Y A QUE DEUX CLOCHETTES !

stap

HEIN?!

!!

EXACT ! CETTE ÉPREUVE EST JUSTEMENT CONÇUE POUR SEMER LA ZIZANIE AU SEIN DES ÉQUIPES.

... DE FAIRE PASSER D'ABORD LE TRAVAIL D'ÉQUIPE.

.. VOUS ÊTES CAPABLES OU NON, DE METTRE DE CÔTÉ VOTRE INTÉRÊT PERSONNEL ET...

LE BUT DE L'EXAMEN EST DE VOIR SI, DANS UNE SITUATION COMME CELLE-CI...

!!

ON NE PEUT PAS DIRE QUE VOUS AVEZ ÉTÉ BRILLANTS...

... TU NE TE PRÉOCCUPAIS QUE DE SASUKE.

TOI, SAKURA, AU LIEU DE FAIRE QUELQUE CHOSE POUR AIDER NARUTO...

QUANT À TOI, SASUKE ! TU PENSAIS QUE LES DEUX AUTRES SERAIENT DES BOULETS, ALORS...

... TU AS DÉCIDÉ D'AGIR EN SOLO.

ET TOI, NARUTO ! TU AS FONCÉ DROIT DEVANT, SANS MÊME RÉFLÉCHIR !

LES MISSIONS DOIVENT S'EFFECTUER EN ÉQUIPE !

... MAIS C'EST, AVANT TOUT, L'ESPRIT D'ÉQUIPE QUI PRIME.

BIEN SÛR, IL EST ESSENTIEL POUR UN NINJA D'AVOIR DES QUALITÉS INDIVIDUELLES...

UN PEU COMME ÇA...

... LA VIE DE VOS COMPA-GNONS.

EN LA JOUANT "PERSO", ET EN NÉGLIGEANT LE TRAVAIL D'ÉQUIPE, VOUS RISQUEZ RÉELLEMENT DE METTRE EN PÉRIL...

top

QUOI ?!

GWAA

fwash!

HI!!!

... OU BIEN JE TRANCHE LA GORGE DE SASUKE !

SAKURA ! TUE NARUTO !

stac

...

FTAP

OUF !

J'AI EU PEUR...

PFIOUUUU

VOUS VOYEZ ?

DITES-VOUS BIEN QU'UN NINJA RISQUE SA VIE LORS DE CHAQUE MISSION QU'IL ACCOMPLIT.

... IL SUFFIT QUE L'UN DE VOUS SE FASSE CAPTURER POUR QUE LES AUTRES SE TROUVENT PRIVÉS D'ÉCHAPPATOIRE ; ET AU BOUT DU COMPTE, VOUS VOUS FAITES TUER TOUS LES TROIS.

ET BEN !
ET BEN !
ET BEN !
ET BEN !!

CE SONT CEUX DES VALEUREUX NINJAS QUI SONT CONSIDÉRÉS COMME...

... DES HÉROS DANS LE VILLAGE.

HUM ?

ftap

#"
#"
#"

VOUS VOYEZ TOUS LES NOMS QUI Y SONT GRAVÉS ?

RE-GAR-DEZ CETTE STÈLE.

ftap

PEUH...

UN HÉROS ! JE VAIS DEVENIR UN GRAND HÉROS !!

ÇA Y EST, C'EST DÉCIDÉ ! MOI AUSSI, J'INSCRIRAI UN JOUR MON NOM SUR CETTE STÈLE !!

ftap

!

DITES !!!

ALLEZ !!!

...

QU'EST-CE QU'ILS ONT DE SPÉCIAL, ALORS ?

AH BON ?

... CEUX-LÀ NE SONT PAS DE BANALS HÉROS...

MAIS...

ILS SONT TOUS DÉCÉDÉS EN ACCOMPLISSANT LEUR DEVOIR, AU COURS D'UNE MISSION.

!!

CERTAINS DE CES NOMS SONT CEUX DE MES PLUS CHERS AMIS...

CETTE STÈLE A ÉTÉ CONSTRUITE À LEUR MÉMOIRE.

16

... MAIS NE DONNEZ PAS UNE MIETTE À NARUTO.

MANGEZ DONC VOTRE CASSE-CROÛTE, VOUS AUREZ BESOIN DE FORCES...

HEIN ?

ÉCOUTEZ BIEN ! JE VOUS LAISSE UNE DERNIÈRE CHANCE !

MAIS JE VOUS PRÉVIENS QUE CE SERA ENCORE PLUS DUR DE ME PRENDRE LES CLOCHETTES CET APRÈS-MIDI.

PIGE ?

C'EST MOI QUI DICTE LES RÈGLES ICI.

CELUI QUI DÉSOBÉIRA SERA ÉLIMINÉ SUR-LE-CHAMP.

ftap

C'EST SA PUNITION POUR AVOIR ESSAYÉ DE SE GOINFRER EN CACHETTE.

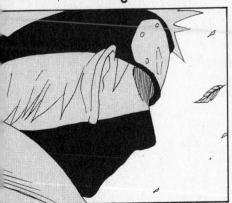

MERCI...

HE HE HE !!!

IL FAUT SAVOIR LIRE ENTRE LES LIGNES POUR COMPRENDRE CE QU'IL VEUT RÉELLEMENT...

... MAIS QUAND MÊME...

C'EST VRAI QUE LES ÉPREUVES DE KAKASHI SONT PEUT-ÊTRE UN PEU DIFFICILES...

WHAOU...

NINDO

NIVEAU SUPÉRIEUR

ILS ONT TOUS ÉCHOUÉ...

OUI... JUSQU'À PRÉSENT, AUCUN ÉLÈVE N'A RÉUSSI À PASSER LE TEST DE KAKASHI.

IL N'Y A QUE...

... DES ZÉROS SUR CETTE LISTE.

NINDÔ

NIVEAU SUPÉRIEUR

HE
HE

FÉLICI-
TATIONS,
VOUS
ÊTES
REÇUS !
♡

WHOOOSH

...

HUM
?

...

HEIN
?!

TOUS CEUX QUI ONT PASSÉ CETTE ÉPREUVE JUSQU'À AUJOURD'HUI, N'ÉTAIENT QUE DES ANDOUILLES QUI...

? QUOI ?

VOUS ÊTES LES PREMIERS QUE J'ADMETS.

... SE CONTENTAIENT D'OBÉIR BÊTEMENT À MES INSTRUCTIONS.

REÇUS ?!

COMMENT ÇA SE FAIT ?!

DANS LE MONDE DES NINJAS, CEUX QUI NE RESPECTENT PAS LES RÈGLES ET TRANSGRESSENT LES LOIS...

... SONT CONSIDÉRÉS COMME DES MOINS QUE RIEN.

JE VOUS L'AI DIT... UN NINJA DOIT AGIR AVEC DISCERNEMENT, ET SAVOIR LIRE ENTRE LES LIGNES.

... SONT ENCORE PIRES.

MAIS...

CEUX QUI NE PENSENT PAS À LEURS COMPAGNONS...

QUELLE CLASSE...!!!

BEN, DIS DONC...

POF

PELIH...

...

HA HA...

YEAAAAH

JE SUIS UN NINJA ! UN VRAI NINJA !!!

YEAAAAH

YOUPI !!! J'AI RÉUSSI !!!

FWIISH

BRAVO ! L'ÉQUIPE N°7 COMMENCERA DÈS DEMAIN À ACCOMPLIR DES MISSIONS !

BON ! L'EXER-CICE EST TERMINÉ !

VOUS ÊTES TOUS ADMIS !

ET VOILÀ ! J'ÉTAIS SÛR QUE ÇA FINIRAIT COMME ÇA !! DÉTACHEZ-MOI !

ÇA Y EST ! NARUTO EST DEVENU UN NINJA EN BONNE ET DUE FORME... QUELLES MISSIONS PALPITANTES DEVRA-T-IL ACCOMPLIR MAINTENANT ? VOUS LE SAUREZ AU PROCHAIN ÉPISODE !

YEAAH !!

ALLEZ, ON RENTRE.

PELIH

PTAP PTAP

25

VOICI QUELQUES DESSINS PRÉLIMINAIRES
DE KONOHA-MARU ET DE SON TUTEUR, EBISU.

JE ME SUIS PAS MAL CASSÉ LA TÊTE POUR LE DESSIN DE
KONOHA-MARU. IL FALLAIT CRÉER UN GARNEMENT PLUS
JEUNE QUE NARUTO, ET AVEC UN SALE CARACTÈRE. MAIS
J'AVAIS BEAU ME TRITURER LES MÉNINGES DANS TOUS LES
SENS, SON IMAGE SE SUPERPOSAIT SANS CESSE DANS MON
ESPRIT AVEC CELLE DE NARUTO.

J'AI ESSAYÉ DE DESSINER UN GARÇON AVEC DE GRANDS YEUX
RONDS ET ÉCARQUILLÉS, MAIS ÇA NE COLLAIT PAS. C'EST LE
GENRE DE VISAGE QU'ON A DÉJÀ VU MAINTES FOIS SANS SE
SOUVENIR OÙ PRÉCISÉMENT... J'AI DONC DÉCIDÉ DE FAIRE
L'INVERSE : DES PETITS YEUX SUR UNE MINE RENFROGNÉE...
ET VOILÀ ! LE TOUR ÉTAIT JOUÉ !

EN REVANCHE, POUR EBISU, JE N'AI EU AUCUNE DIFFICULTÉ. LE
PREMIER JET ÉTAIT LE BON. JE NE SAIS PAS CE QUE VOUS EN
PENSEZ, MAIS PERSONNELLEMENT, J'EN SUIS ASSEZ
CONTENT...

SNAP

JE LE TIENS !!!

MIAAAAA!!

MISSION ACCOMPLIE !

OK. NOM DE CODE: "RETROUVER LE MINET EN VADROUILLE"

OUI, PAS D'ERREUR.

MIAAAA HAHAHA

VOUS ÊTES SÛRS QUE C'EST TORA ? IL A BIEN UN RUBAN SUR L'OREILLE DROITE ?

SCRATCH SCRATCH

AÏE AÏE AÏE !

COUIC COUIC

MIIAAAAAA!!!

MADAME SHIJIMI, ÉPOUSE DU SEIGNEUR DU PAYS DU FEU, ET SON CHAT, TORA.

JE COMPRENDS MIEUX POURQUOI IL S'EST ÉCHAPPÉ... PAUVRE BÊTE...

HA ! HA ! HA ! BIEN FAIT POUR TOI, SALE MATOU !

gnnn gnnn

AAH ! MON PETIT TORA ADORÉ ! POURQUOI T'ES-TU SAUVÉ COMME ÇA ? JE ME FAISAIS UN SANG D'ENCRE !

BON COURAGE À TOUS

RÉCEPTION

... ENSUITE, UNE COURSE AU VILLAGE VOISIN, PUIS DONNER UN COUP DE MAIN À LA RÉCOLTE DES POMMES DE TERRE...

HMM... D'ABORD, BABY-SITTING DU PETIT-FILS DU DOYEN DU VILLAGE...

BIEN ! ENSUITE, L'ÉQUIPE N°7 SOUS LA DIRECTION DE KAKASHI ! VOYONS VOIR QUELLES SONT VOS PROCHAINES MISSIONS...

STOP !

IL N'A PAS TORT... ...

QUEL ENQUI- QUI- NEUR, CELUI- LÀ...

AH LA LA !

ET VOILÀ... JE ME DOUTAIS QU'IL N'ALLAIT PAS TARDER À PERDRE PATIENCE...

MOI, CETTE FOIS, JE VEUX FAIRE QUELQUE CHOSE DE PLUS PALPITANT !!!

AH NON ! PAS QUES- TION !! RAS- LE-BOL DE CE GENRE DE MIS- SIONS !

OUAIS! MAIS QUAND MÊME! Y EN A MARRE DE CES MISSIONS COMPLÈTEMENT NAZES!!

TOUT LE MONDE COMMENCE PAR FAIRE DES MISSIONS SIMPLES! LA PROGRESSION SE FAIT PAR ÉTAPES, ET IL N'EST PAS QUESTION DE SAUTER DES ÉCHELONS!

PFFF

TU NE MANQUES PAS DE TOUPET POUR UN BLEU!

Gా"ా

TAC

L'ÉVENTAIL EST TRÈS LARGE, ÇA VA DE LA GARDE D'ENFANT À L'ASSASSINAT.

PFF

ÉCOUTE BIEN! LE VILLAGE REÇOIT CHAQUE JOUR DE NOMBREUSES DEMANDES.

SDOM

NARUTO! JE VAIS T'EXPLIQUER EN QUOI CONSISTENT CES MISSIONS, CAR TU N'AS PAS L'AIR DE BIEN COMPRENDRE...

CALME-TOI, IDIOT!

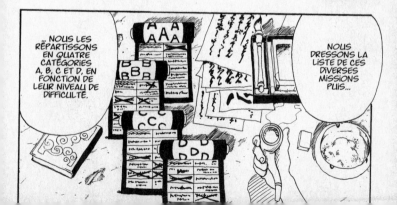

... NOUS LES RÉPARTISSONS EN QUATRE CATÉGORIES A, B, C ET D, EN FONCTION DE LEUR NIVEAU DE DIFFICULTÉ.

NOUS DRESSONS LA LISTE DE CES DIVERSES MISSIONS PUIS...

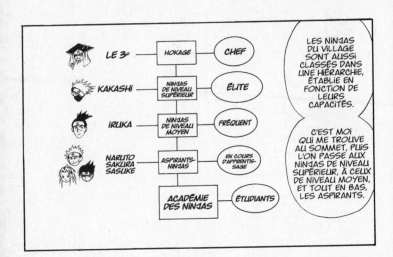

LE 3ᵉ — HOKAGE → CHEF

KAKASHI — NINJAS DE NIVEAU SUPÉRIEUR → ÉLITE

IRUKA — NINJAS DE NIVEAU MOYEN → FRÉQUENT

NARUTO SAKURA SASUKE — ASPIRANTS-NINJAS → EN COURS D'APPRENTISSAGE

ACADÉMIE DES NINJAS → ÉTUDIANTS

LES NINJAS DU VILLAGE SONT AUSSI CLASSÉS DANS UNE HIÉRARCHIE, ÉTABLIE EN FONCTION DE LEURS CAPACITÉS.

C'EST MOI QUI ME TROUVE AU SOMMET, PUIS L'ON PASSE AUX NINJAS DE NIVEAU SUPÉRIEUR, À CEUX DE NIVEAU MOYEN, ET TOUT EN BAS, LES ASPIRANTS.

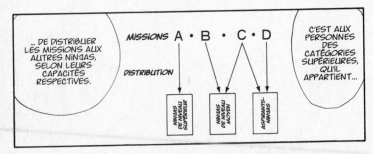

... DE DISTRIBUER LES MISSIONS AUX AUTRES NINJAS, SELON LEURS CAPACITÉS RESPECTIVES.

MISSIONS A • B • C • D

DISTRIBUTION

NINJAS DE NIVEAU SUPÉRIEUR

NINJAS DE NIVEAU MOYEN

ASPIRANTS-NINJAS

C'EST AUX PERSONNES DES CATÉGORIES SUPÉRIEURES, QU'IL APPARTIENT...

... LE DEMANDEUR NOUS VERSE UNE RÉMUNÉRATION. VOILÀ TOUT LE PROCESSUS...

LORSQUE ENFIN LA MISSION A ÉTÉ BIEN ACCOMPLIE...

BON COURAGE À TOUS

RÉCEPT

HÉ ! ÉCOUTE-MOI QUAND JE TE PARLE !!

...

HIER, J'AI MANGÉ DES RAMENS AU PORC, AUJOURD'HUI, J'EN PRENDRAI DONC AU MISO...

... IL N'EST PAS QUESTION DE FAIRE AUTRE CHOSE QUE DES MISSIONS DE CLASSE D.

TU COMPRENDS DONC QUE, POUR VOUS QUI VENEZ À PEINE DE DEVENIR ASPIRANTS...

... VOUS ME PRENIEZ TOUJOURS POUR UN BON À RIEN, QUI NE FAIT QUE DES FARCES !!

ET PUIS D'ABORD, J'EN AI MARRE QUE...

PFUUUUH !

ENCORE UN BEAU DISCOURS, C'EST TOUT LE TEMPS LA MÊME CHOSE.

PA... PARDON, JE SUIS DÉSOLÉ...

●●●

●●●

AH ! LA LA ! JE VAIS ME FAIRE TIRER LES OREILLES À CAUSE DE LUI...

BON COURAGE À TOUS

PFFU !

CEPTIO

7

PUISQUE TU INSISTES TELLEMENT...

D'AC-CORD.

HEIN ?

IL S'AGIT D'UNE MISSION D'ESCORTE...

N COURAGE À

JE VAIS VOUS CONFIER UNE MISSION DE CLASSE C.

HE HE HE... NARUTO A BIEN CHANGÉ... IL NE SE SERAIT PAS COMPORTÉ COMME ÇA, IL Y A PEU DE TEMPS...

COOL !

SI VOUS VOULIEZ BIEN ENTRER...

DU CALME ! JE VAIS TOUT DE SUITE VOUS PRÉSENTER LA PERSONNE EN QUESTION.

C'EST QUI QU'ON DOIT ESCORTER ? HEIN ?! UN GOUVERNEUR ? OU BIEN UNE PRINCESSE ?!

DU CALME ! QU'EST-CE QU'ON VA FAIRE, SI TU TUES LA PERSONNE QU'ON DOIT ESCORTER ?

JE VAIS L'TUER !!

!

J'EN AI JUSTEMENT UN À TERMINER DANS MON PAYS. VOTRE BOULOT, C'EST DE M'ACCOMPAGNER ET DE ME MÉGA-PROTÉGER JUSQU'À L'ACHÈVEMENT DES TRAVAUX !

MA SPÉCIA-LITÉ, C'EST LES PONTS.

JE SUIS TAZUNA, LE MÉGA-CHAR-PENTIER.

JE TE TROUVE BIEN EXCITÉ, NARUTO...

EN ROUTE !!!

NE VOUS INQUIÉTEZ PAS, VOUS N'AVEZ RIEN À CRAINDRE AVEC MOI.

HA HA...

HÉ ! VOUS CROYEZ VRAIMENT QUE JE SUIS EN SÉCURITÉ AVEC CE ZIGOTO ?

C'EST PARCE QUE JE NE SUIS ENCORE JAMAIS SORTI DU VILLAGE !

TU NE SAIS PAS À QUI TU AS AFFAIRE !

DIS DONC, VIEUX CROULANT ! FAUDRAIT VOIR À PAS SOUS-ESTIMER LES NINJAS !

IL FAUT LUI MONTRER QUI JE SUIS...

IL COMMENCE À ME GONFLER, CE VIEUX SCHNOCK... QUEL CLIENT DÉSAGRÉABLE !

38

MON NOM EST NARUTO UZUMAKI ! TÂCHE DE T'EN SOUVENIR !

UN JOUR, JE DEVIENDRAI LE MAÎTRE HOKAGE ET JE SERAI LE PLUS GRAND DES NINJAS !

ET LÀ, MÊME TOI, TU SERAS BIEN FORCÉ DE RECONNAÎTRE MA VALEUR !

JE SUIS PRÊT À TOUT POUR DEVENIR HOKAGE !

N'IMPORTE QUOI !!!

TU NE M'AS VRAIMENT PAS L'AIR À LA HAUTEUR...

LE MAÎTRE HOKAGE, C'EST BIEN LE NINJA LE PLUS FORT DU VILLAGE, NON ?

TU RÊVES, MINUS. JE NE RECONNAÎTRAI RIEN DU TOUT...

!

... QUE TU DEVIENNES HOKAGE OU PAS.

ftap !!!

JE T'AI DÉJÀ DIT DE NE PAS FAIRE ÇA.

J'VAIS LE TUER !!

SNBO
ガッ

...

VOUS VENEZ BIEN DU PAYS DES VAGUES, N'EST-CE PAS ?

OUAIS ?

DITES, TAZUNA...

OUAIS, C'EST BIEN ÇA.

FTAP
ゾロ
ゾロ
FTAP

... ET IL Y A AUSSI DES VILLAGES CACHÉS, MÊME SI LA CULTURE ET LES COUTUMES Y SONT DIFFÉRENTES DES NÔTRES.

NON, IL N'Y A PAS DE NINJAS AU PAYS DES VAGUES.

MAIS PAR CONTRE, IL Y EN A DANS LA PLUPART DES AUTRES PAYS...

IL N'Y A PAS DE NINJAS LÀ-BAS ?

MAÎTRE KAKASHI...

IWA NO KUNI : "PAYS DES ROCHES"

KUMO NO KUNI : "PAYS DES NUAGES"

KONOHA NO KUNI : "PAYS DES FEUILLES"

KIRI NO KUNI : "PAYS DU BROUILLARD"

SUNA NO KUNI : "PAYS DU SABLE"

LES CINQ GRANDS PAYS	VILLAGE NINJA DE KONOHA	VILLAGE NINJA DE KIRI	VILLAGE NINJA DE KUMO	VILLAGE NINJA DE SUNA	VILLAGE NINJA DIWA
	HOKAGE	MIZU-KAGE	RAIKAGE	KAZE-KAGE	TSUCHI-KAGE

ILS SONT DIRIGÉS PAR LES CINQ PLUS GRANDS NINJAS, À SAVOIR...

PARMI TOUS LES VILLAGES NINJAS QUI EXISTENT, LES VILLAGES DE KONOHA, DE KIRI, DE KUMO, DE SUNA ET DIWA SONT LES PLUS PUISSANTS.

MAIS ÇA NE VEUT PAS DIRE QUE LES VILLAGES NINJAS SOIENT PLACÉS SOUS L'AUTORITÉ DES DIFFÉRENTS GOUVERNEMENTS ; EN RÉALITÉ, ILS SE SITUENT SUR LE MÊME PLAN QUE LES GOUVERNEMENTS ET N'EN SONT DONC PAS DÉPENDANTS. CERTAINS PETITS PAYS ONT PEU À CRAINDRE DES GRANDES PUISSANCES, ET DE CE FAIT N'ONT PAS BESOIN D'UN VILLAGE NINJA. C'EST LE CAS DU PAYS DES VAGUES, QUI EST UN MINUSCULE ARCHIPEL...

POUR LES NOMBREUX PAYS DU CONTINENT, L'EXISTENCE D'UN VILLAGE NINJA ÉQUIVAUT À LA PRÉSENCE D'UNE PUISSANCE MILITAIRE QUI PERMET DE MAINTENIR L'ÉQUILIBRE ENTRE LES PAYS LIMITROPHES.

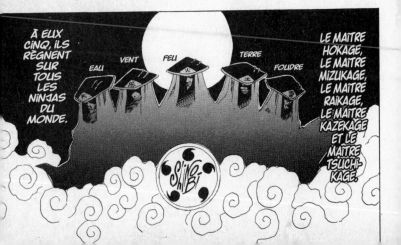

À EUX CINQ, ILS RÈGNENT SUR TOUS LES NINJAS DU MONDE.

EAU   VENT   FEU   TERRE   FOUDRE

LE MAÎTRE HOKAGE, LE MAÎTRE MIZUKAGE, LE MAÎTRE RAIKAGE, LE MAÎTRE KAZEKAGE ET LE MAÎTRE TSUCHI-KAGE.

VOUS N'Y CROYEZ PAS, HEIN ?

WHAOOW ! JE NE SAVAIS PAS QUE LE MAITRE HOKAGE ÉTAIT SI FORT !

gloups

CE VIEUX PÉPÉ ? J'AI DU MAL À LE CROIRE...

...

Gloups

...

ALORS, NOUS NE RENCON-TRERONS PAS DE NINJAS DES AUTRES PAYS ?

ENFIN... NE VOUS INQUIÉTEZ PAS. CE N'EST QU'UNE MISSION DE CLASSE C, IL N'Y AURA PAS DE NINJAS À AFFRONTER CETTE FOIS...

BIEN SÛR QUE NON ! HAHAHA HAHA !

POF

FTAP

FTAP

FTAP

MAÎTRE
KAKASHI
!!!

BTOM

MAÏ...

BTOM

KYAAAA !!

スウ... FWSSH

!!

スウ...

FWSSH

ALI
SUIVANT !

47

54

ZAAM

WHAA !

C'EST LE BUT DE LA MIS-SION...!!!

JE DOIS PRO-TÉ-GER TA-ZUNA...

IL...!

IL FONCE SUR NOUS !!!

!!

METTEZ-VOUS À L'ABRI !

!!

POM !

56

OURGH!!!

!!

!

DE QUOI IL SE MÊLE...

PFUIH...

IL ÉTAIT DONC VIVANT !

MAÎTRE KAKASHI !!!

J'AI BIEN CRU QUE J'ALLAIS Y PASSER...

OUF...

IL A UTILISÉ UNE TECHNIQUE DE PERMUTATION...

!

ÉVITE DE BOUGER, SINON TU VAS ACCÉLÉRER LA CIRCULATION DU POISON.

...

IL VA FALLOIR OUVRIR LA PLAIE POUR ÉVACUER LE SANG INFECTÉ DE TON CORPS.

TA BLESSURE DOIT ÊTRE DÉSINFECTÉE AU PLUS VITE.

LEURS GRIFFES ÉTAIENT RECOUVERTES DE POISON

NARUTO ! PAS DE BAGARRE MAINTENANT !

ZOM ZOM

IL FAUT QUE JE VOUS PARLE.

QU... QU'Y A-T-IL ?!

TA-ZUNA...

ILS SONT RÉPUTÉS POUR LEUR HARGNE AU COMBAT, ILS N'ABANDONNENT JAMAIS.

... DU VILLAGE DE KIRI...

CE SONT DES NINJAS DE NIVEAU MOYEN...

... QU'IL N'A PAS PLU DEPUIS PLUSIEURS JOURS...

kliing

LES FLAQUES D'EAU SONT PLUTÔT RARES QUAND LE SOLEIL BRILLE COMME AUJOURD'HUI ET...

COMMENT AS-TU FAIT POUR PRÉVOIR NOTRE ATTAQUE ?

... IL FALLAIT D'ABORD VÉRIFIER...

QUI ÉTAIT LA CIBLE DE LEUR EMBUSCADE ...

SI JE L'AVAIS VOULU, J'AURAIS PU TUER CES DEUX-LÀ EN UN CLIN D'ŒIL MAIS...

PUISQUE VOUS AVIEZ DÉCELÉ LEUR PRÉSENCE, POURQUOI AVEZ-VOUS LAISSÉ LES GAMINS SE BATTRE ?

VOUS NE NOUS AVEZ JAMAIS DIT QUE VOUS ÉTIEZ MENACÉ PAR DES NINJAS.

LA MISSION DONT NOUS AVONS ÉTÉ INVESTIS, CONSISTE SIMPLEMENT À VOUS PROTÉGER DES VOLEURS ET DES BRIGANDS...

L'UN DE NOUS QUATRE ? VOILÀ CE DONT JE VOULAIS M'AS-SURER.

ÉTAIT-CE VOUS QUI ÉTIEZ VISÉ, OU BIEN...

BAH ...

QUE VOULIEZ-VOUS DIRE ?

?

JE CROYAIS QU'IL SUFFISAIT D'ASSURER VOTRE PROTECTION...

JUSQU'À L'ACHÈVEMENT DES TRAVAUX DE CONSTRUCTION DE VOTRE PONT, MAIS ÇA N'A PAS L'AIR SI SIMPLE.

S'IL Y A DES NINJAS DANS CETTE AFFAIRE, LA MISSION PASSE AU MOINS EN CLASSE B...

...

...

JE SUIS SÛR QUE VOUS AVIEZ UNE BONNE RAISON DE NE PAS NOUS DIRE LA VÉRITÉ, MAIS IL N'EMPÊCHE QUE CETTE "PETITE DISSIMULATION" CHANGE TOUTES LES DONNÉES DE LA MISSION.

NOUS NOUS RETROUVONS À PRÉSENT DANS UNE SITUATION EMBARRASSANTE.

SI NOUS AVIONS SU, DÈS LE DÉPART, QU'IL AURAIT DES NINJAS À AFFRONTER ...

VOTRE DEMANDE AURAIT ÉTÉ MISE EN CLASSE B, ET, DU COUP, LE PRIX AURAIT AUGMENTÉ...

C'EST VRAI QUE, DANS CES CONDITIONS, C'EST DIFFICILE DE CONTINUER !

...

HMM...

DE TOUTE FAÇON, IL NOUS FAUT UN ANESTHÉSIANT POUR OUVRIR LA PLAIE DE NARUTO ET EN EXTRAIRE LE POISON...

IL FAUT RENTRER AU VILLAGE POUR VOIR UN MÉDECIN...

NOUS NE SOMMES PAS ENCORE PRÊTS POUR UNE MISSION PAREILLE... LAISSONS TOMBER !

J'AI ACCOMPLI PLEIN DE MISSIONS, ET JE ME SUIS ENTRAÎNÉ DUR CHAQUE JOUR...

GNNNN

Brll

Brll

JE DEVRAIS POURTANT AVOIR PROGRESSÉ !!!

FWP FWP

LAIT

PAR LA DOULEUR QUI ME LACÈRE LA MAIN, JE FAIS LE SERMENT...

Skriii

PAS QUESTION DE CÉDER LE PAS À SASUKE...

JE NE ME LAISSERAI PLUS PARALYSER PAR LA PEUR...

DORÉNAVANT, JE ME DÉBROUILLERAI TOUT SEUL ET JE N'AURAI BESOIN DE PERSONNE POUR ME SAUVER...

... DE ME SERVIR DE CE KUNAI *

* CF LEXIQUE

JE LUI TRANCHERAI LA TÊTE AVEC MON SABRE.

LAISSEZ-MOI VOUS RAPPELER QUE JE SUIS ZABUZA MOMOCHI ET CE N'EST PAS POUR RIEN QU'ON ME SURNOMME "LE DIABLE DU BROUILLARD" !

POUR QUI ME PRENEZ-VOUS...

IL PARAIT QU'IL EST ESCORTÉ PAR UNE TROUPE DE NINJAS...

ET APRÈS L'ÉCHEC DE L'ATTAQUE DES FRÈRES DÉMONS, ILS DOIVENT AVOIR REDOUBLÉ DE VIGILANCE...

TU... TU ES SÛR QUE ÇA IRA...?

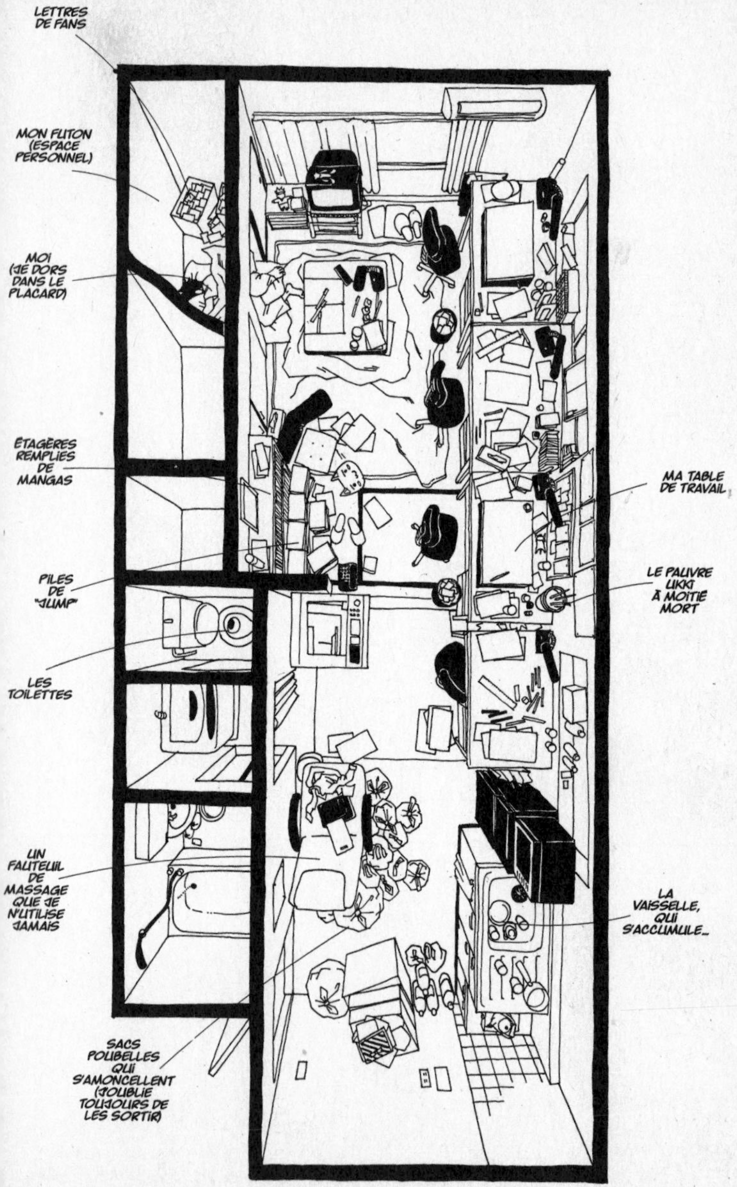

LETTRES
DE FANS

MON FUTON
(ESPACE
PERSONNEL)

MOI
(JE DORS
DANS LE
PLACARD)

ÉTAGÈRES
REMPLIES
DE
MANGAS

PILES
DE
"JUMP"

LES
TOILETTES

UN
FAUTEUIL
DE
MASSAGE
QUE JE
N'UTILISE
JAMAIS

SACS
POUBELLES
QUI
S'AMONCELLENT
(J'OUBLIE
TOUJOURS DE
LES SORTIR)

MA TABLE
DE TRAVAIL

LE PAUVRE
LIKKI
À MOITIÉ
MORT

LA
VAISSELLE,
QUI
S'ACCUMULE...

BRAVO NARUTO... C'EST TRÈS BIEN DE PURGER LE POISON MAIS...

11e ÉPISODE : DÉBARQUEMENT !

"GYAA !

SI TU N'ARRÊTES PAS L'EFFUSION, TU VAS TE VIDER COMPLÈTEMENT DE TON SANG ?

SANS RIRE

!!

JE CROIS QUE ÇA SUFFIT COMME ÇA...

...

PLOC

PLOC PLOC

!

T'ES VRAIMENT PAS NET !

NARUTO ! C'EST DU MASOCHISME, ÇA !

LAISSE-MOI VOIR.

AAARGHH ! AU SECOURS ! SALIVEZ-MOI !

HAAAAA !

NON ! PAS ÇA !

JE NE VEUX PAS MOURIR COMME ÇA !!

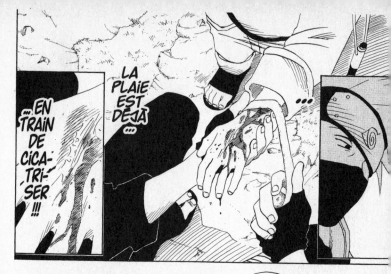

LA PLAIE EST DÉJÀ...

...EN TRAIN DE CICA-TRI-SER !!!

...

...

C'EST SÛREMENT LE POUVOIR DU RENARD À NEUF QUEUES...

OUI ! ÇA DEVRAIT ALLER.

DITES ! DITES ! E...

!

JE... JE VAIS M'EN TIRER ?

IL A L'AIR SUPER SÉRIEUX

SI VOUS AVEZ UN INS-TANT...

IL FAUT QUE JE VOUS PARLE.

MAÎTRE KAKA-SHI...

...

QUELLE PURÉE DE POIS ! ON N'Y VOIT RIEN DU TOUT !

EN LE LONGEANT, NOUS ARRIVERONS AU PAYS DES VAGUES.

NOUS DEVRIONS BIENTÔT APERCEVOIR LE PONT.

73

... IL FAUT QUE JE VOUS PARLE.

SI VOUS AVEZ UN INSTANT...

POUR VOUS DIRE LA VÉRITÉ, UN TYPE MÉGA-DANGEREUX VEUT M'ÉLIMINER...

JE CRAINS FORT QUE VOUS N'AYEZ RAISON... ELLE EST PLUS PÉRILLEUSE QUE PRÉVUE...

C'EST À PROPOS DE CETTE MISSION...

UN TYPE MÉGA-DANGE-REUX ?

...

VOUS AVEZ PROBABLE-MENT DÉJÀ ENTENDU PARLER DE LUI.

QUI EST-CE ?

...

C'EST LE CÉLÈBRE MAGNAT DU TRANSPORT MARITIME !

CET HOMME S'APPELLE GATÔ...

LE PROPRIÉTAIRE DE LA "GATÔ COMPANY" ? CELUI QUE L'ON PRÉTEND ÊTRE L'UN DES HOMMES LES PLUS RICHES DU MONDE ?!

QUOI...?! GATÔ ?!

!

EN RÉALITÉ, IL EST À LA TÊTE D'UNE GRANDE ORGANISATION DE GANGSTERS ET DE NINJAS, ET SA VÉRITABLE FORTUNE PROVIENT DU TRAFIC DE DROGUE ET D'AUTRES PRODUITS ILLICITES... SON OBJECTIF FINAL EST DE PRENDRE LE CONTRÔLE TOTAL DE CERTAINS SECTEURS-CLÉS, VOIRE DE PAYS ENTIERS...

C'EST UN TRUAND DE LA PIRE ESPÈCE, QUI SE LIVRE AUX ACTIVITÉS LES PLUS INFÂMES...

C'EST BIEN DE LUI QU'IL S'AGIT... LES TRANSPORTS MARITIMES NE SONT QU'UNE FAÇADE...

L'ACHÈVEMENT DE LA CONSTRUCTION DE CE PONT !

MAINTENANT QUE GATÔ EST MAÎTRE DU PAYS, LA SEULE CHOSE QU'IL REDOUTE C'EST...

NOTRE PAYS ÉTANT UN ARCHIPEL, AVOIR LE MONOPOLE DES TRANSPORTS MARITIMES, SIGNIFIE POSSÉDER TOUTES LES RICHESSES...

... DE TOUTE L'INDUSTRIE NAVALE DU PAYS !

À FORCE DE POTS-DE-VIN ET DE MENACES PHYSIQUES, IL A VITE FAIT DE PRENDRE LE CONTRÔLE...

IL Y A ENVIRON UN AN, IL A COMMENCÉ À S'INTÉRESSER AU PAYS DES VAGUES.

?
...

ALORS...

... IL VEUT VOUS ÉLIMINER.

HMM

JE VOIS... ET PUISQUE C'EST VOUS QUI CONSTRUISEZ CE PONT...

NARUTO N'A PAS TOUT COMPRIS.

... LES NINJAS QUI NOUS ONT ATTAQUÉS ÉTAIENT À SA SOLDE.

MAIS JE NE COMPRENDS TOUJOURS PAS POURQUOI VOUS NOUS AVEZ CACHÉ LA VÉRITÉ...

... ALORS QUE VOUS SAVIEZ QUE GATÔ EMPLOYAIT DES NINJAS !

...

JE N'AVAIS PAS LES MOYENS DE PAYER UNE MISSION DE CLASSE B... C'EST POUR ÇA QUE...

ALORS, VOUS PENSEZ BIEN QUE JE NE ROULE PAS SUR L'OR, MOI NON PLUS.

LE PAYS DES VAGUES EST DANS LA MÉGA-MISÈRE.

MÊME NOTRE SEIGNEUR EST DANS LA DÈCHE.

TOUT LE MONDE S'EN MOQUE QUE JE MEURE ! IL N'Y A QUE MON PETIT-FILS, QUI VA BIENTÔT AVOIR 10 ANS, QUI AURA DU CHAGRIN.

IL PLEURERA UNE JOURNÉE ENTIÈRE, PUIS IL M'OUBLIERA !!!

NE VOUS EN FAITES PAS POUR ÇA !

C'EST PAS GRAVE !

JE ME FERAI TUER À COUP SÛR...

MAIS...

SI VOUS DÉCIDEZ DE REBROUS-SER CHEMIN...

ON EST VRAIMENT TOMBÉS SUR LA PIRE DES CLIENTS !

BON... JE CROIS QUE NOUS N'AVONS PAS LE CHOIX...

NOUS ALLONS VOUS ESCORTER AU MOINS JUSQUE CHEZ VOUS.

J'AI GAGNÉ.

AH ! ET PUIS, IL Y A AUSSI MA FILLE ! SANS DOUTE PASSERA-T-ELLE LE RESTANT DE SES JOURS À MAUDIRE LES NINJAS DU VILLAGE DE KONOHA !

MAIS IL NE FAUT PAS VOUS CULPA-BILISER ! ÇA N'EST PAS DU TOUT DE VOTRE FAUTE !

...

NOUS SOMMES PRESQUE ARRIVÉS.

... PAR MESURE DE SÉCURITÉ, JE VAIS PASSER PAR LA ZONE DES MANGROVES*; LA VÉGÉTATION LUXURIANTE CAMOUFLERA NOTRE PROGRESSION JUSQU'À LA TERRE FERME.

MERCI !

TAZUNA... JE PENSE QUE POUR L'INSTANT...

NOUS N'AVONS PAS ÉTÉ REPÉRÉS MAIS...

*FORMATIONS VÉGÉTALES CARACTÉRISTIQUES DES LITTORAUX MARINS TROPICAUX.

FWIIIShh

COUIC
ギー!

COUIC
ギー!

FTH!
タッ

BVOOOM
ブ"ー
ゴ
ゴゴゴ
PL-AAASH

OK.

MÉGA-MERCI POUR TOUT !

MOI, JE NE VAIS PAS PLUS LOIN.

SOIS PRUDENT, TAZUNA.

CETTE FOIS, CE SERA DU SÉRIEUX... UN NINJA DE NIVEAU SUPÉRIEUR...

S'ILS NOUS ATTAQUENT À NOUVEAU, CE NE SERA PAS AVEC DU MENU FRETIN...

AH LA LA !!!

C'EST ÇA, C'EST ÇA.

JE COMPTE SUR VOUS POUR ME PROTÉGER !

EN ROUTE !

80

TU VAS VOIR CE QUE TU VAS VOIR, SASUKE...

JE NE TE LAISSERAI PLUS AVOIR LE BEAU RÔLE !

DANS LE BUISSON !!!

ZHHHmm

...

...

...

...

...

...

NA... NARUTO ! SI TU POUVAIS ÉVITER DE TIRER DES SHURIKENS À TORT ET À TRAVERS, S'IL TE PLAIT... C'EST TRÈS DANGEREUX !

ARRÊTE DE FRIMER, NARUTO ! IL N'Y AVAIT RIEN DANS CE BUISSON !

HUM... SANS DOUTE UNE SOURIS...

GRRR

OH ! J'AI CRU VOIR UNE OMBRE BOUGER PAR-LÀ... !

SCRRTT SCRRTT

...

...

MON CŒUR S'EST ARRÊTÉ DE BATTRE UN INSTANT !

DIS DONC, MINUS ! TU VAS ARRÊTER DE T'AGITER POUR RIEN !

HUM!

ピク !

BOM
バコ

ÇA SUFFIT MAINTE-NANT !

OUIiiILLE !

FWYUUSHH

LÀ-BAS !!

SLAC

Friish
ガサ

MAIS OUI, BIEN SÛR !!

MAIS J'AI SENTI QU'ON NOUS OBSERVAIT, JE T'ASSURE QUE C'EST VRAI...

AÏE !
イッテ-!

SDOM
ん

gnn gnn
ピク
ピク

AH !

FWSHH

CE LIÈVRE A SON PELAGE D'HIVER...

OR, NOUS SOMMES AU PRINTEMPS... QU'EST-CE QUE ÇA VEUT DIRE ?!

OH... TOUT CE REMUE-MÉNAGE POUR UN PAUVRE LIÈVRE...

PARDON... PARDON, PETIT LAPIN !

hung

gnoup

NA-RUTO ! TU N'AS PAS HONTE !!!

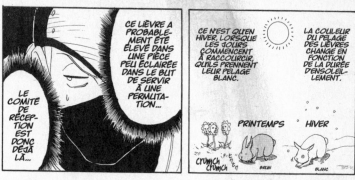

LE COMITÉ DE RÉCEPTION EST DONC DÉJÀ LÀ...

CE LIÈVRE A PROBABLEMENT ÉTÉ ÉLEVÉ DANS UNE PIÈCE PEU ÉCLAIRÉE DANS LE BUT DE SERVIR À UNE PERMUTATION...

CE N'EST QU'EN HIVER, LORSQUE LES JOURS COMMENCENT À RACCOURCIR, QU'ILS PRENNENT LEUR PELAGE BLANC.

LA COULEUR DU PELAGE DES LIÈVRES CHANGE EN FONCTION DE LA DURÉE D'ENSOLEILLEMENT.

PRINTEMPS

HIVER

crunch crunch

BRUN

BLANC

... KAKASHI ET DE SON "SHARINGAN"...

COMMENT AURAIENT-ILS PU VENIR À BOUT DE...

JE VOIS... PAS ÉTONNANT QUE LES FRÈRES DÉMONS AIENT ÉCHOUÉ...

84

CELUI-LÀ EST PLUS CORIACE QUE LES DEUX AUTRES.

METTEZ-VOUS TOUS EN RETRAIT.

NE RESTEZ PAS LÀ.

...

FACE À LUI...

スッ fwp

カ゛゛... ゛ FWOP

IL VA FALLOIR...

EMPLOYER LES GRANDS MOYENS...

C'EST LA FIN !

DÉSOLÉ, MAIS JE N'AI PAS DE TEMPS À PERDRE...

KAKASHI, L'HOMME AU SHARINGAN...

LIVRE-MOI CE VIEILLARD SANS FAIRE D'HISTOIRE.

"SHARINGAN" ?!

ZAM !

!

?

....?

"SHARINGAN" ?

C'EST QUOI ÇA ?

...

SNUP ワツワツ

GROUPEZ-VOUS AUTOUR DE TAZUNA.

PROTÉGEZ-LE EN CAS DE DANGER...

C'EST COMME ÇA QUE MARCHE LE TRAVAIL D'ÉQUIPE DANS LE CAS PRÉSENT!

...

MAIS N'INTERVENEZ PAS DANS LE COMBAT!

AWUP! ！！ワツワツ！

ZABUZA ... SI TU VEUX TAZU-NA...

AH!

!!!

LE "SHA-RIN-GAN"...

...

C'EST QUOI CE TRUC ?!

"SHARINGAN" ! "SHARINGAN" ! VOUS N'AVEZ QUE CE MOT À LA BOUCHE, DEPUIS TOUT À L'HEURE !

CET ŒIL SPÉCIAL PERMET D'ANALYSER INSTANTANÉMENT TOUTES LES ATTAQUES DE GENJUTSU, DE TAIJUTSU ET DE NINJUTSU, ET DONC DE LES CONTRER...

LE SHARINGAN DÉSIGNE UN TYPE D'IRIS DONT SONT POURVUS LES MAÎTRES DU DÔJUTSU*

NINJUTSU

TAIJUTSU

GENJUTSU

* CF LEXIQUE

CE QUI REND CET ŒIL VRAIMENT REDOU-TABLE...

...C'EST SA CAPACITÉ À COPIER LES TECHNIQUES DE L'ADVERSAIRE.

HÉ HÉ... BONNE EXPLICA-TION.

MAIS EFFECTI-VEMENT, CE N'EST PAS TOUT.

HEIN ?

MAIS CE N'EST PAS TOUT...

J'AVAIS UN CARNET D'IDENTIFI-CATION DES NINJAS, DANS LEQUEL...

... J'AI LU DES INFORMA-TIONS TE CONCER-NANT, KAKASHI.

LORSQUE JE FAISAIS PARTIE DE LA TROUPE D'ASSAS-SINS DU VILLAGE DE KIRI...

IL Y ÉTAIT ÉCRIT QUE...

NOTRE DRÔLE DE PROFESSEUR SONT DE TRÈS PUISSANTS NINJAS...

ÇA ALORS... MINE DE RIEN, LE VIEUX MAÎTRE HOKAGE ET...

... TU AVAIS APPRIS PLUS DE 1000 TECHNIQUES GRÂCE À TON ŒIL...

...

WHAOU ! TROP CLASSE !

JE N'AURAIS JAMAIS CRU ÇA !

QU'EST-CE QUE ÇA VEUT DIRE...

LE SHARIN-GAN EST...

... UN ATTRIBUT GÉNÉTIQUE QUE, SEULS, POSSÈDENT QUELQUES RARES MEMBRES DU CLAN UCHIWA...

JE DOIS ÉLIMINER CE VIEUX BONHOMME EN VITESSE.

BON...

ASSEZ BAVARDÉ COMME ÇA !

SE POUR-RAIT-IL QUE...

ZAM ! !

ZAM !

!!

PLOUF

... IL VA D'ABORD FALLOIR ME DÉBARRASSER DE TOI, KAKASHI.

MAIS PUISQUE TU AS DÉCIDÉ DE TE METTRE EN TRAVERS DE MA ROUTE...

!

!!

FTAP

FWSHH

!!

IN-
CROYA-
BLE !
IL SE
TIENT
SUR
L'EAU !!

LÀ-
BAS !

IL UTILISE
UNE
QUANTITÉ
IMPRES-
SION-
NANTE...

... DE
CHAKRA
!!!

FWSSHH

"CAMOU-
FLAGE
DANS LA
BRUME"

NINPÔ*...

* "TECHNIQUE NINJA"

IL A DISPARU !

LORSQU'IL FAISAIT PARTIE DE LA TROUPE D'ASSASSINS DU VILLAGE DE KIRI...

ZA-BUZA MO-MOCHI...

PAS DE PANIQUE, CE SERA PROBABLEMENT MOI SA PREMIÈRE CIBLE...

ÉTAIT RÉPUTÉ COMME EXPERT DES TECHNIQUES SILENCIEUSES.

DOM

DOM

DOM

SUR-TOUT, RES-TEZ TRÈS VIGI-LANTS !!!

QUANT À MOI, JE NE MAÎTRISE PAS LE SHARINGAN À LA PERFECTION, ALORS...

IL A L'ART DE S'APPROCHER DE SA VICTIME SANS FAIRE LE MOINDRE BRUIT, IMPOSSIBLE DE LE REPÉRER.

AH ?!

8 POSSIBILITÉS

LE BROUILLARD S'ÉPAISSIT DE PLUS EN PLUS !

QU... QU'EST-CE QUE C'EST ?!

ALORS... PAR QUOI JE COMMENCE ?

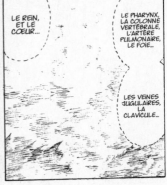

LE REIN, ET LE CŒUR...

LE PHARYNX, LA COLONNE VERTÉBRALE, L'ARTÈRE PULMONAIRE, LE FOIE...

LES VEINES JUGULAIRES, LA CLAVICULE...

ţ°J... HMM...

...

J'AI L'IMPRESSION QUE JE RISQUE DE ME FAIRE TUER AU MOINDRE MOUVEMENT...

JE NE POURRAI PAS TENIR TRÈS LONGTEMPS COMME ÇA... IL Y A DE QUOI DEVENIR FOU...

HU...

QUELLE INCROYABLE TENSION !!!

C'EST HORRIBLE... JE NE PEUX PAS SUPPORTER CETTE PRESSION...

VOILÀ DE QUOI SONT CAPABLES LES NINJAS DE NIVEAU SUPÉRIEUR... JE SUIS ENTIÈREMENT À SA MERCI...

RAS-SURE-TOI.

JE VOUS PROTÈGERAI COÛTE QUE COÛTE, MÊME AU PÉRIL DE MA VIE.

SASUKE...

!

AH !

JE NE SUIS PAS DU GENRE À LAISSER...

... LES MEMBRES DE MON ÉQUIPE SE FAIRE ASSASSINER !

C'EST CE QU'ON VA VOIR...

WHAM

104

C'EST LA FIN !!

HE HE HE...

HAHA~

WHAOU!!!

...

TU IMAGINES SÉRIEUSEMENT POUVOIR ME BATTRE EN IMITANT MES TECHNIQUES GRÂCE À TON OEIL ?

ET BIEN, TU VAS ÊTRE DÉÇU...

!

HE HE HE...

LA FIN...?

TU CROIS ÇA ?

EN TOUT CAS, J'ADMETS QUE C'ÉTAIT BIEN JOUÉ !

HÉ HÉ HÉ...

19e ÉPISODE : UN VRAI NINJA !

À CE MOMENT-LÀ...

TU AVAIS DÉJÀ COPIÉ MA TECHNIQUE DU "CLONAGE AQUEUX", N'EST-CE PAS ?

JE NE SUIS PAS DU GENRE À LAISSER...

... LES MEMBRES DE MON ÉQUIPE SE FAIRE ASSASSINER !

...

MAIS, HÉLAS POUR TOI...

TU TE DISSIMULAIS DANS LE BROUILLARD POUR M'OBSERVER. TRÈS MALIN...

... POUR ATTIRER MON ATTENTION, ALORS QU'EN FAIT...

ET TU AS FAIT PRONONCER À TON CLONE CES PAROLES TOUT À FAIT CRÉDIBLES...

...

MOI AUSSI, J'AI PLUS D'UN TOUR DANS MON SAC.

C'ÉTAIT ENCORE UN "CLONE AQUEUX" !!!

ₜₐₚ タッ!!

SCRAA ザッ!!

MAIN-TENANT !!!

ハッ!! FWASH

DES MAKIBISHIS* ...

SCRRSHH !!

* CF LEXIQUE

SPLAAAASH

PRO-FES-SEUR !!! !

IL A RÉUSSI À ENVOYER VALDIN-GUER MAÎTRE KAKASHI...

C'EST STUPÉ-FIANT...

IL EST AUSSI TRÈS FORT EN TAÏJU-TSU...

RIDI-CULE...

fwpp

ZOM FWAP PLAASH

TECHNIQUE DE "LA PRISON AQUEUSE" !!!

HÉ HÉ... PAUVRE IMBÉCILE !

BIZARRE... L'EAU EST ÉTRANGEMENT LOURDE...

FWAP

WHOOO

QU'EST-CE QUE...?!

ZUT !!!

WROOOO

HÉ HÉ HÉ... JE TE TIENS ! IL EST IMPOSSIBLE DE S'ÉCHAPPER DE CETTE PRISON AQUEUSE !

QUELLE ERREUR... JE N'AURAIS PAS DÛ PLONGER DANS L'EAU !

"CLO-NAGE AQUEUX" !!!

FWSh...

JE TE RÈGLERAI TON COMPTE PLUS TARD.

JE VAIS D'ABORD ME DÉBARRASSER DE TES PETITS COMPAGNONS.

ÇA VA ÊTRE PLUS SIMPLE, MAINTENANT QUE TU ES NEUTRALISÉ...

VVVVMM

!

!

!

!

!

BLOUB

ZUT... IL EST PLUS FORT QUE JE NE L'IMAGINAIS...!

ZOM

HE HE HE... ALORS, LES ENFANTS... ON SE PREND POUR DES GRANDS NINJAS, AVEC BANDEAU FRONTAL ET TOUT ?

MAIS VOUS SAVEZ, UN VRAI NINJA, C'EST QUELQU'UN QUI A CÔTOYÉ LA MORT DE PRÈS.

MAIS IL NE PEUT PAS BOUGER TANT QU'IL ME GARDE DANS CETTE PRISON LIQUIDE !

ÉCOUTEZ-MOI ! FUYEZ ! EMMENEZ TAZUNA LOIN D'ICI !

VOUS N'AVEZ AUCUNE CHANCE CONTRE ZABUZA !

HUNGH !!!

UN VULGAIRE MORVEUX.

JE DOIS FUIR... SINON...

IL... IL EST TROP PUISSANT POUR MOI...

ctap

ALORS, FUYEZ VITE !

SON CLONE NON PLUS, NE POURRA PAS ALLER BIEN LOIN ! IL NE PEUT LE CONTRÔLER QUE DANS UN CERTAIN PÉRIMÈTRE !

...ME METTRE EN PIÈCES !!!

IL VA VRAIMENT FINIR PAR...

TAP

KR55H

!

HUNGH

OUCH!!!

PAR LA DOULEUR QUI ME LACÈRE LA MAIN, JE FAIS LE SERMENT ...!

...

JE NE LAISSERAI PLUS LA PEUR ME PARALYSER...

JE NE FUIRAI PLUS...

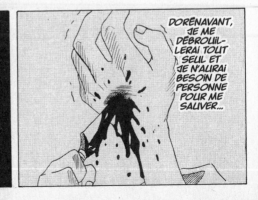

DORÉNAVANT, JE ME DÉBROUIL-LERAI TOUT SEUL ET JE N'AURAI BESOIN DE PERSONNE POUR ME SAUVER...

PAS QUESTION DE CÉDER LE PAS À SASUKE...

ESPÈCE DE TROUILLARD ?

PAS TROP DE BOBOS...

...

EN RÉCOMPENSE DE LA RÉUSSITE À L'EXAMEN FINAL DE L'ÉCOLE !

PAS QUESTION ! TU SAIS BIEN QUE C'EST LE BANDEAU QUE L'ON REÇOIT...

OH ! ÇA ?

J'AIMERAIS ESSAYER VOTRE BANDEAU FRONTAL...?

TE VOILÀ DIPLÔMÉ !

FÉLICITATIONS ! NARUTO...

PFYUUU

J'AI QUELQUE CHOSE POUR TOI !

APPROCHE, NARUTO.

FÉLICITATIONS, VOUS ÊTES REÇUS ?♥

VOUS RISQUEREZ VOTRE VIE DANS CHAQUE MISSION !

BANDE DE RIGOLOS...

AUCUN DE VOUS N'A LA TREMPE D'UN VRAI NINJA.

ET TOUT LE MONDE RECONNAÎTRA MA VALEUR !!

UN JOUR, JE SURPASSERAI LE MAÎTRE HOKAGE !!!

...POUR UN BON À RIEN QUI NE FAIT QUE DES FARCES !!

ET PUIS D'ABORD, J'EN AI MARRE QUE VOUS ME PRENIEZ TOUJOURS...

119

PAS QUESTION DE FUIR !!!

HGNN...

ET J'AI PROMIS DE NE PLUS RECULER DEVANT LE DANGER !

FWUP

OÙ AVAIS-JE LA TÊTE... JE SUIS UN NINJA MAINTENANT !

!

N... NON !! ARRÊTE !!!

DASH !

WHOOOOOO !!!

NARUTO ! MAIS QU'EST-CE QUI TE PREND ?!

IL A PERDU LA TÊTE...

HUM... MISÉRABLE VERMINE...

SDON !

BTOM

SCRABLAAM

NOUS NE SOMMES QUE DES ASPIRANTS ! NOUS N'AVONS AUCUNE CHANCE FACE À...

QU'EST-CE QUI T'A PRIS ?! TU ES COMPLÈTEMENT INCONSCIENT OU QUOI ?

!!

AH...?!

Il a fait ça pour récupérer son bandeau...?!

IL N'A PAS L'AIR AUSSI MÉGA-NUL QUE JE LE CROYAIS...

PAS MAL, CE PETIT...

NARUTO...

DE QUOI ?

DE MON PLAN.

SASUKE ! AMÈNE-TOI ! IL FAUT QUE JE TE PARLE !

JE N'AVAIS JAMAIS VU NARUTO COMME ÇA...

QUELLE SENSATION ÉTRANGE...

HUM...

TU PENSES AU TRAVAIL D'ÉQUIPE À PRÉSENT ?

UN PLAN...? DANS UNE SITUATION PAREILLE ?

DE SE DÉCHAÎNER...

IL EST TEMPS...

LE MÉCHANT PROFESSEUR. IL UTILISE DES SHURIKENS FŪMAS

LE PROFESSEUR IRUKA

SOURIRE CHARMEUR

MIZUKI

KAKASHI / KUMA / KAMA / BOTAN / ENOKI

VOICI QUELQUES DESSINS PRÉLIMINAIRES D'IRUKA ET DE MIZUKI.

SI VOUS COMPAREZ LE VISAGE DE MIZUKI, REPRÉSENTÉ ICI, AVEC CELUI DU PREMIER ÉPISODE, VOUS REMARQUEREZ TOUT DE SUITE QUE SA COUPE DE CHEVEUX A CHANGÉ. LE RESTE EST QUASIMENT IDENTIQUE.

IRUKA AVAIT, SUR CES ÉBAUCHES, UN REGARD PLUS FROID ET DES OS PLUS SAILLANTS. J'AI ADOUCI LE TOUT POUR QU'IL AIT L'AIR PLUS JEUNE.

ENCORE UNE CHOSE : AU MOMENT DE LA CONCEPTION D'IRUKA ET DE MIZUKI, JE RÉFLÉCHISSAIS DÉJÀ AU NOM DU PROCHAIN PROFESSEUR. VOUS VOYEZ LES NOMS AUXQUELS JE PENSAIS : KAKASHI, KUMA, KAMA, BOTAN, ENOKI... J'AI LONGUEMENT HÉSITÉ...

À LA FIN, J'ÉTAIS PARTAGÉ ENTRE KAKASHI ET ENOKI...

QUAND J'Y REPENSE, JE ME DIS QUE J'AI FAIT LE BON CHOIX.

NOTRE MISSION EST DE PROTÉGER TAZUNA !

VOUS N'AVEZ PAS OUBLIÉ QUAND MÊME !!

QU'EST-CE QUE VOUS FABRIQUEZ ! FUYEZ, BON SANG !!

MAINTENANT QUE JE SUIS PRISONNIER, LE COMBAT EST PERDU !

ÇA TOUR-NE MAL...

HMM...

...

TAZU-NA...

ALLEZ-Y LES GARS ! BATTEZ-VOUS COMME DES HOMMES !

JE SUIS VRAIMENT DÉSOLÉ POUR TOUT...

AU POINT OÙ EN SONT LES CHOSES, JE NE VAIS PAS VOUS OBLIGER À FUIR POUR SAUVER MA PEAU.

TOUT ÇA, C'EST DE MA FAUTE.

ÇA VA BARDER !

T'AS ENTENDU ?

HUM

HE HE HE HE HE HE ...

PFF...

SWP

MOI...

QUAND ARRÊTEREZ-VOUS DE JOUER AUX NINJAS ?

!

QUOI !!!

VOUS N'AVEZ PAS ENCORE COMPRIS ...

À VOTRE ÂGE...

... J'AVAIS DÉJÀ LES MAINS COUVERTES DE SANG ...

"ZABUZA LE DÉMON" ...

GLOUPS

OH ! ON DIRAIT QUE MA RÉPUTATION EST PARVENUE JUSQU'À TES OREILLES ...

ALORS, TU AS AUSSI ENTENDU PARLER DE NOTRE EXAMEN...

HMM...

IL Y ÉTAIT EXTRÊMEMENT DIFFICILE DE DEVENIR NINJA...

LE VILLAGE DE KIRI ÉTAIT SURNOMMÉ "LE VILLAGE DU BROUILLARD SANGLANT"...

AUTRE-FOIS...

DE QUEL GENRE D'EXAMEN S'AGIT-IL ?

HE HE HE...

L'EXAMEN...?

!

HE HE HE HE !!!

131

C'EST UNE LUTTE À MORT ENTRE LES PARTICIPANTS !

...

QUOI....?!

C'EST HORRIBLE...

...

UNE LUTTE À MORT ENTRE DES JEUNES GENS QUI, JUSQU'ALORS, PARTAGEAIENT LEURS REPAS, LEURS RÊVES ET LEURS ASPIRATIONS...

LES ÉLÈVES QUI, JUSQU'À CE JOUR, ÉTAIENT CAMARADES, ÉTAIENT RÉPARTIS PAR GROUPE DE DEUX ET DEVAIENT S'AFFRONTER...

JUSQU'À CE QUE L'UN PÉRISSE...

CETTE RÉFORME SANS PRÉCÉDENT A ÉTÉ ENTREPRISE...

SUITE À L'APPARITION D'UN VÉRITABLE "DÉMON", L'ANNÉE PRÉCÉDENTE...

MAIS IL Y A DIX ANS... LES MODALITÉS DE L'EXAMEN...

ONT DÛ ÊTRE LARGEMENT MODIFIÉES.

POUR-QUOI ? QU'A DONC FAIT CE "DÉMON" ?

...

UNE RÉFOR-ME...?

... EXTERMINÉ LA CENTAINE DE CANDIDATS QUI PASSAIENT L'EXAMEN CETTE ANNÉE-LÀ...

SANS UNE ONCE D'HÉSITA-TION...

CE GAMIN, QUI N'AVAIT PAS ENCORE SON DIPLÔME DE NINJA, A...

... ET SANS LE MOINDRE REMORDS...

GEURPF

ADIEU... stap

!!

SASUKE!!!

...

MULTI-CLO-NAGE !!!

VITE!!!

ZAZAZAM

Hung

C'EST PARTI !!!

Snap

Snap

Snap

Snap

ASSEZ RÉUSSI EN PLUS...

OH! UN MULTI-CLONAGE...

137

139

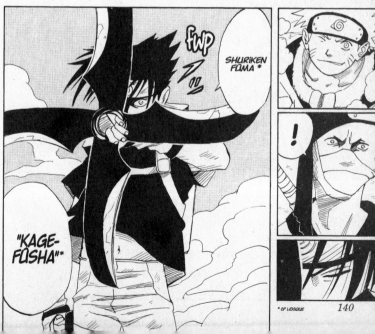

SHURIKEN
FŪMA *

"KAGE-
FŪSHA"*

ON DIRAIT QUE...

JE VOIS... TU VEUX T'ATTAQUER DIRECTEMENT À MOI...

SNAP !

~ TU ME SOUS-ESTIMES !!!

スゥ...

fwuu

ブゾッ!!

C'EST LA TECHNIQUE DU "SHURIKEN FURTIF" !!

UN SECOND SHURIKEN ÉTAIT CACHÉ DANS L'OMBRE DU PREMIER !

!!

HEIN
?

POFF!

?!!

JE LE TIENS !!!

LE SHARINGAN EST DE RETOUR !

BRAVO NARUTO... TON STRATAGÈME ÉTAIT EXCELLENT...

MAÎ... MAÎTRE KAKA- SHI !!

Plashh-

POUAAH!!!

LE BUT DE LA MANŒUVRE N'ÉTAIT BIEN SÛR PAS DE LE VAINCRE, MAIS DE L'ÉLOIGNER DE LA PRISON AQUEUSE POUR QUE VOUS PUISSIEZ VOUS LIBÉRER !

MON MULTI-CLONAGE AVAIT POUR OBJECTIF DE DISTRAIRE L'ATTENTION DE ZABUZA PENDANT QUE JE ME MÉTAMORPHOSAIS EN SHURIKEN !

HE HE...

VOUS AVEZ FAIT DE GROS PROGRÈS, TOUS LES TROIS...

VRAI NARUTO

POF !

VRAI NARUTO

VRAI NARUTO

UN CLONE

LE VRAI NARUTO

CLONE

CLONE

SASUKE N'A PLUS QU'À UTILISER LA TECHNIQUE DU "SHURIKEN FURTIF" AVEC CELUI QU'IL POSSÈDE DÉJÀ !

... IL LE LANCE À SASUKE !

LE CLONE S'EMPARE DU SHURIKEN ET...

NARUTO SE MÉTAMORPHOSE EN SHURIKEN REPLIÉ.

LE MULTI-CLONAGE ÉTAIT UNE FEINTE ! EN FAIT, IL SUFFISAIT D'UN SEUL CLONE.

... QU'ILS ONT ÉTÉ PLUS FORTS QUE TOI CETTE FOIS !

RECONNAIS DONC...

J'AI ÉTÉ STUPIDE... LA COLÈRE M'A EMPORTÉ ET J'EN AI OUBLIÉ LA PRISON AQUEUSE

HMM...

JE TE PRÉVIENS, ZABUZA : TU NE M'AURAS PAS DEUX FOIS AVEC LA MÊME TECHNIQUE.

GRR

PELIH !

ALORS QUE COMPTES-TU FAIRE ?

SPLASH !

ftap !

ZWOM

SPLASH !

BUFFLE-SINGE-LIÈVRE-RAT-COCHON-COQ-BUFFLE-CHEVAL-COQ-RAT-TIGRE-DRAGON-TIGRE-SERPENT-BUFFLE-CHÈVRE-SERPENT-COCHON-CHÈVRE-RAT-EAU-SINGE-COQ-DRAGON-COQ-BUFFLE-CHEVAL-CHÈVRE-TIGRE-SERPENT-RAT-SINGE-LIÈVRE-COCHON-DRAGON-CHÈVRE-RAT-BUFFLE-SINGE-COQ-EAU-RAT- COCHON !!

BUFFLE-SINGE-LIÈVRE-RAT-COCHON-COQ-BUFFLE-CHEVAL-COQ-RAT-TIGRE-DRAGON-TIGRE-SERPENT-BUFFLE-CHÈVRE-SERPENT-COCHON-CHÈVRE-RAT-EAU-SINGE-COQ-DRAGON-COQ-BUFFLE-CHEVAL-CHÈVRE-TIGRE-SERPENT-RAT-SINGE-LIÈVRE-COCHON-DRAGON-CHÈVRE-RAT-BUFFLE-SINGE-COQ-EAU-RAT-COCHON !! *

FWAP
FWAP FWAP

FWAP

FWAP

FWAP FWAP

FWAP

FWAP

COQ !!

WAP

FWAP

FWAP

FWAP

* INCANTATION ASTROLOGIQUE NINJA

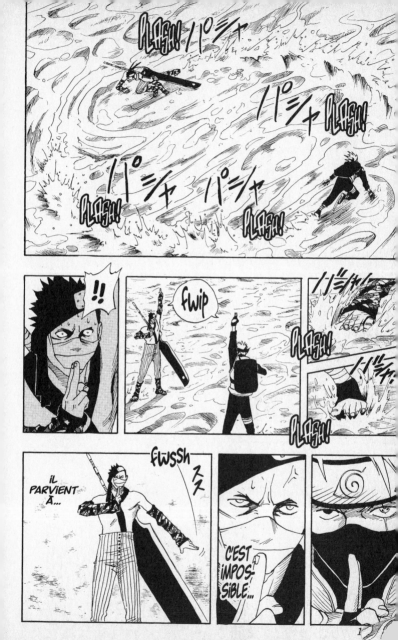

...COPIER LE MOINDRE DE TES MOUVEMENTS.

!!

SES YEUX...

BON SANG !

FWP

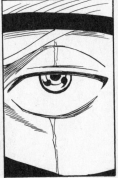

IL PEUT AUSSI LIRE DANS MES PENSÉES ?!

QUOI ?!

!!

ILS TE FONT FROID DANS LE DOS...

C'EST BIEN ÇA ?

ÇA NE SUFFIRA PAS POUR ME BATTRE, PÂLIVRE IMITATEUR !

PEUH ! TU NE FAIS QUE ME SINGER !

FWAP **FWAP** **GLOUPS**

... UNE BONNE FOIS POUR TOUTES !!!

ÇA SUFFIT ! JE VAIS TE FAIRE TAIRE ...

!!

FWAP

JE... JE RÊVE OU QUOI ?!

!!

IL UTILISE CERTAINE-MENT UNE TECHNIQUE D'HALLU-CINATION !

C'EST... C'EST IMPOS-SIBLE !!!

C'EST MOI ?

SUITON ! TECHNIQUE DE "LA GRANDE CATARACTE" !!!

FWAP FWAP FWAP FWAP

FWAP

FWAP

C'EST IMPOS-SIBLE !!!

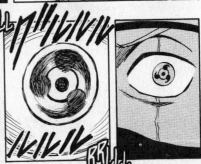

QU... QUOI ?!

RRLLLL

RRLLL

PLAAAASH...

CETTE FOIS, C'EST BIEN FINI...

HUNG...

EST-CE QUE TON ŒIL TE PERMET AUSSI DE VOIR L'AVENIR ?!

COMMENT EST-CE POSSIBLE...

FWSH

FWSH

ET MAINTENANT, JE VOIS ARRIVER TA MORT !

TOUT JUSTE...

BEAUCOUP D'ENTRE VOUS M'ÉCRIVENT
POUR ME DEMANDER DES RENSEIGNEMENTS SUR
"LE PARADIS DU BATIFOLAGE". JE VAIS DONC
SATISFAIRE VOTRE CURIOSITÉ EN VOUS PARLANT
UN PEU DE CE CHEF-D'ŒUVRE.

HÉ HÉ HÉ

QUATRIÈME
DE
COUVERTURE ↓

"LE PARADIS DU BATIFOLAGE"
EN TROIS TOMES

LE LIVRE PRÉFÉRÉ DE KAKASHI !

POUR CE QUI EST DU CONTENU.........................
....
....
....
....

JE NE PEUX PAS VOUS EN DIRE PLUS,
CAR C'EST UN LIVRE RÉSERVÉ AUX
ADULTES ! DÉSOLÉ !

IL PARAÎT QUE LE PREMIER VOLUME DE
LA SUITE, INTITULÉE "LA FURIE DU
BATIFOLAGE" SERA BIENTÔT EN VENTE
DANS TOUTES LES BONNES LIBRAIRIES.
C'EST KAKASHI QUI VA ÊTRE CONTENT !

EFFECTI-
VEMENT...
IL EST
BIEN
MORT...

...

169

TU ES UN CHASSEUR DE DÉSERTEURS DU VILLAGE DE KIRI, N'EST-CE PAS ?

CE MASQUE...

VOICI LONGTEMPS QUE...

JE GUETTAIS L'OCCASION DE TUER ZABUZA.

TOP

MERCI, VOUS M'AVEZ BIEN AIDÉ.

UN CHASSEUR DE DÉSERTEURS ?

C'EST EXACT... VOUS ÊTES BIEN INFORMÉ.

...

IL EST À PEU PRÈS DU MÊME ÂGE QUE NARUTO... ET POURTANT, IL EST DÉJÀ CHASSEUR...

À EN JUGER PAR SA TAILLE ET LE TIMBRE DE SA VOIX...

OUI, JE FAIS PARTIE DE LA BRIGADE DE CHASSEURS DU VILLAGE DE KIRI.

MON TRAVAIL CONSISTE À ÉLIMINER LES NINJAS DÉSERTEURS.

FTH!

WHOP

CE N'EST PAS UN GAMIN ORDINAIRE...

...

! FWP

FWP

?

FWP

FWP

QUI ES-TU ?!

HÉ ! TOI, LÀ-HAUT !!!

RASSURE-TOI, NARUTO ! CE N'EST PAS UN ENNEMI.

fwp

... LUI QUI SEMBLAIT INVINCIBLE !

ftap

COMMENT A-T-IL FAIT POUR TUER ZABUZA ?

JE M'EN MOQUE ! C'EST PAS ÇA QUE JE VEUX SAVOIR !!!

... IL A TUÉ ZABUZA COMME SI CE N'ÉTAIT RIEN DU TOUT ! ON A L'AIR RIDICULES À CÔTÉ DE LUI !

J'ARRIVE PAS À Y CROIRE !!

CE GARÇON N'EST PAS PLUS VIEUX QUE MOI ET POURTANT...

POF

... C'EST POURTANT VRAI.

JE COMPRENDS TON ÉTONNEMENT, MAIS...

DU CALME !

ftap

... QUI SONT BEAUCOUP PLUS FORTS QUE MOI.

...

!

IL FAUT QUE TU SACHES QUE, DE PAR LE MONDE, IL EXISTE DES GAMINS ENCORE PLUS JEUNES QUE TOI...

FWUP

・・・

FWUP

ENCORE MERCI.

MOI, JE ME CHARGE DE FAIRE DISPARAÎTRE CE CORPS.

VOTRE COMBAT EST TERMINÉ, VOUS POUVEZ VOUS REPOSER MAINTENANT.

FWUP

IL A DISPARU !

C'EST QU'IL CONTIENT BEAUCOUP DE SECRETS, VOYEZ-VOUS...

174

METTONS-NOUS EN ROUTE !

BON ! NOUS DEVONS TOUJOURS ESCORTER TAZUNA JUSQUE CHEZ LUI !

ftop

PFYUUUU...

VOUS POURREZ VOUS REPOSER CHEZ MOI ! NOUS SOMMES PRESQUE ARRIVÉS !

HA HA HA ! MÉGA-DÉSOLÉ POUR CE CONTRE-TEMPS !

JE SUIS ÉPUISÉ... J'AI TELLEMENT UTILISÉ LE SHARINGAN...

JE... JE N'AI PLUS DE FORCES...

MAÎTRE KAKA-SHI !!

AH !!!

QU'EST-CE QU'IL A ?!

BJOM ド H ...

175

OUI, IL ME FAUDRA JUSTE UNE PETITE SEMAINE POUR RÉCUPÉRER...

VOUS ÊTES SÛR QUE ÇA VA ALLER ?

... IL NÉCESSITE UNE ÉNORME QUANTITÉ D'ÉNERGIE ! IL NE FAUT PAS L'UTILISER À LA LÉGÈRE !

BEN DITES DONC ! LE SHARINGAN EST TRÈS EFFICACE, MAIS...

TSUNAMI (29 ANS), LA FILLE DE TAZUNA

JE ME DEMANDE QUAND MÊME QUI ÉTAIT AU JUSTE CE CHASSEUR AU VISAGE MASQUÉ...

... ILS ME LAISSERONT PROBABLEMENT TRANQUILLE PENDANT QUELQUE TEMPS !

EN TOUS CAS, ME VOILÀ BIEN SOULAGÉ ! MAINTENANT QUE L'UN DE LEURS MEILLEURS NINJAS EST MORT...

ON LES SURNOMME "LES EFFACEURS DE CADAVRES", CAR LEUR TRAVAIL CONSISTE À FAIRE DISPARAÎTRE LES CORPS DES NINJAS DÉSERTEURS...

DU VILLAGE DE KIRI PORTENT CE MASQUE.

TOUS LES CHASSEURS DE LA BRIGADE SECRÈTE...

POUR QU'IL NE RESTE PAS LA MOINDRE TRACE DE LEUR EXISTENCE.

TOUTES LES TECHNIQUES QUE J'AI APPRISES POURRAIENT AINSI PASSER ENTRE DES MAINS ENNEMIES... LE DANGER EST ÉNORME.

SI, PAR EXEMPLE, JE MOURAIS, DE NOMBREUSES PERSONNES S'EMPRESSERAIENT DE M'AUTOPSIER AFIN D'EXAMINER MON SHARINGAN ET D'EN PERCER TOUS LES MYSTÈRES...

LA COMPOSANTE DES POTIONS SECRÈTES QUI ONT ÉTÉ UTILISÉES SUR SON CORPS...

LE CADAVRE D'UN NINJA PEUT RÉVÉLER DE NOMBREUX SECRETS CONCERNANT LE VILLAGE OÙ IL A ÉTÉ FORMÉ, COMME LA NATURE DE SON CHAKRA OU...

POUR ÉVITER QUE LES SECRETS DE LEUR VILLAGE NE FILTRENT VERS L'EXTÉRIEUR.

CES CHASSEURS ONT POUR RÔLE D'ÉLIMINER LES DÉSERTEURS ET DE FAIRE DISPARAÎTRE LEUR CORPS...

LE CADAVRE D'UN NINJA RENFERME DONC UNE MULTITUDE D'INFORMATIONS.

QUELLE HORREUR !!!

ALORS... À L'HEURE QU'IL EST, CE CHASSEUR DOIT ÊTRE EN TRAIN DE DÉPECER ZABUZA...

C'EST UNE TRISTE FIN, MAIS IL FAUT L'ACCEPTER.

LES NINJAS DISPARAIS- SENT SANS BRUIT ET SANS ODEUR...

JE VAIS COMMENCER PAR COUPER CE BANDAGE ET LUI FAIRE CRACHER LE SANG QUI EST RESTÉ DANS SA GORGE...

VOUS ÊTES DÉJÀ REVENU À LA VIE ?

OH...

HÉ ! ALLEZ-Y DOUCEMENT ! SINON VOUS ALLEZ MOURIR POUR DE BON !

LA VACHE... TU N'Y ES PAS ALLÉ...

snap

DE MAIN MORTE...

QU'EST-CE QUE TU ATTENDS POUR RETIRER CE STUPIDE MASQUE, IL M'ÉNERVE !

FRLSSHH

ブシッ!

EN TOUS CAS, IL M'A ÉTÉ BIEN UTILE CETTE FOIS...

カパパ

fwop

JE LE GARDE EN SOUVENIR DU PASSÉ...

181

ALORS, POURQUOI LA GORGE, HEIN ?

LA PROCHAINE FOIS QUE TU ME FAIS TOMBER EN LÉTHARGIE, ÉVITE DE VISER LA GORGE. TU AURAIS PU CHOISIR UN AUTRE POINT SENSIBLE, MOINS RISQUÉ...

SI JE N'ÉTAIS PAS INTERVENU À TEMPS, IL VOUS AURAIT TUÉ !

...

ET VOILÀ !

À VOTRE AVIS ?

ET PUIS, LA GORGE N'EST PAS UNE PARTIE TRÈS MUSCLÉE...

VOTRE CORPS EST SI PARFAIT QUE JE M'EN VOUDRAIS DE L'ABÎMER...

LES AIGUILLES PEUVENT Y PÉNÉTRER FACILEMENT POUR ATTEINDRE LE POINT SENSIBLE.

MAIS VOUS ÊTES TELLEMENT SOLIDE QUE ÇA PRENDRA PEUT-ÊTRE MÊME MOINS DE TEMPS.

UNE PETITE SEMAINE DE REPOS ET VOUS SEREZ DE NOUVEAU SUR PIEDS !

C'EST NORMAL, JE NE SUIS ENCORE QU'UN ENFANT !

HÉ HÉ...

C'EST ÇA QUE J'AIME CHEZ TOI.

TA NAÏVETÉ, TON INTELLIGENCE ET TA PURETÉ...

LE BROUILLARD S'EST LEVÉ.

TIENS...

MAINTENANT... IL FAUT TROUVER UN MOYEN DE NEUTRALISER LE SHARINGAN ...

QUE COMPTEZ-VOUS FAIRE ?

ET MAINTENANT ?

BlOM

GYAAAAA
!!!

...

MÊME PAS CAPABLE DE RETIRER UN MASQUE DISCRÈ-TEMENT !

QUEL EMPOTÉ !

AH ! MAÎTRE KAKASHI ! VOUS ÊTES RÉVEILLÉ ?

J'AI L'IMPRES-SION QU'IL Y A QUELQUE CHOSE QUI CLOCHE, MAIS QUOI...

QUELLE EST CETTE FRAYEUR INSUPPOR-TABLE ? IL EST POURTANT BIEN MORT...

J'AI DÛ LAISSER ÉCHAPPER UN DÉTAIL...

IL Y A QUELQUE CHOSE QUI CLOCHE...

...

LES "EFFACEURS DE CADAVRES" FONT DISPARAITRE LE CORPS DE LEUR VICTIME IMMÉDIATEMENT...

EN TEMPS NORMAL...

HMM ?

AH...

QU'EST-CE QU'IL Y A, MAITRE ? VOUS AVEZ L'AIR SOUCIEUX...

VOUS SAVEZ COMMENT LE GARÇON MASQUÉ S'EST DÉBARRASSÉ DU CORPS DE ZABUZA ?

HEIN ?

VOUS NE COMPRENEZ PAS ?

ET ALORS ?

ÇA NE VOUS INTRIGUE PAS, DE NE PAS SAVOIR CE QU'EST DEVENU CE CADAVRE ?

EXACT...

IL A DISPARU EN EMPORTANT LE CADAVRE !

BAH ! COMMENT VOULEZ-VOUS QU'ON LE SACHE !

!!

~ DE SIMPLES AIGUIL-LES !

...

ET SOUVENEZ-VOUS AUSSI DE L'ARME QU'IL A UTILISÉE POUR TUER ZABUZA...

189

VOUS VOULEZ DIRE QUE...

...

BEN NOUS, ON N'A PAS COMPRIS... ALORS, SI VOUS POUVIEZ NOUS EXPLIQUER...

?

JE CROIS QUE TU AS COMPRIS OÙ JE VEUX EN VENIR.

VOILÀ...

IL Y A UNE FORTE PROBA- BILITÉ QUE...

...ZABUZA SOIT ENCORE EN VIE !!

ZOOM

... NE SONT MORTELLES QU'À CONDITION DE TOUCHER DIRECTEMENT UN POINT VITAL.

ELLES NE SONT D'AILLEURS PAS FAITES POUR TUER : CE SONT DES INSTRUMENTS UTILISÉS POUR LES TRAITEMENTS D'ACUPUNCTURE.

LES AIGUILLES QU'A UTILISÉES CE SOI-DISANT CHASSEUR...

SECUNDO : LES AIGUILLES QU'IL A UTILISÉES NE SONT PAS VRAIMENT CONVAINCANTES.

PRIMO : LE CORPS DE ZABUZA DEVAIT ÊTRE BIEN LOURD POUR CE JEUNE CHASSEUR. IL AURAIT ÉTÉ PLUS NATUREL QU'IL LE FASSE DISPARAÎTRE SUR PLACE...

PLUS J'Y PENSE, ET PLUS JE ME DIS QUE CE GARÇON...

CE N'EST CERTAINEMENT PAS DIFFICILE POUR EUX DE FAIRE TOMBER QUELQU'UN EN LÉTHARGIE.

LES MEMBRES DES BRIGADES DE CHASSEURS SONT DES EXPERTS EN ANATOMIE...

LE BOULOT DES CHASSEURS, C'EST D'ÉLIMINER LES DÉSERTEURS ! UN POINT, C'EST TOUT !

MOI, JE CROIS QUE VOUS VOUS FAITES TROP DE SOUCI POUR RIEN...

ÇA ME SEMBLE TOUT À FAIT PLAUSIBLE.

... N'EST PAS INTERVENU POUR TUER ZABUZA, MAIS, AU CONTRAIRE, POUR LE SAUVER.

"TOUJOURS ÊTRE SUR SES GARDES ET PRENDRE LES DEVANTS", C'EST UNE DES RÈGLES D'OR DES NINJAS !

HMM...

CETTE HISTOIRE EST TOUT DE MÊME LOUCHE.

!

ENFIN ! QUE ZABUZA SOIT MORT OU VIVANT NE CHANGE RIEN.

GATÔ DISPOSE PEUT-ÊTRE D'AUTRES NINJAS ENCORE PLUS PUISSANTS...

Brll
フル
フル
Brll

HÉ HÉ...

?

VOUS N'AVEZ PAS ENCORE RETROUVÉ VOS FORCES...

MAÎTRE ! QUE VA-T-ON FAIRE ?

...

HMM... IL A L'AIR DE SE RÉJOUIR D'APPRENDRE QUE ZABUZA EST PEUT-ÊTRE ENCORE EN VIE...

JE VAIS VOUS DONNER UN PROGRAMME D'ENTRAÎNEMENT !

MÊME VOUS, AVEC VOTRE SHARINGAN, VOUS AVEZ EU DU MAL À EN VENIR À BOUT !

IL VEUT NOTRE MORT OU QUOI ?!

SAKURA EN SON FOR INTÉRIEUR

MAIS MAÎTRE ! MÊME SI NOUS NOUS ENTRAÎNONS, NOUS NE PARVIENDRONS JAMAIS À VAINCRE ZABUZA !

HEIN ?! UN PROGRAMME D'ENTRAÎNEMENT...?

YAAAAAAA !

C'EST TOI QUI A LE PLUS PROGRESSÉ !!

!

EN PARTICULIER NARUTO !

VOUS AVEZ FAIT DES PROGRÈS FULGURANTS CES DERNIERS TEMPS.

RÉFLÉCHIS UN PEU, SAKURA... C'EST VOUS QUI M'AVEZ SAUVÉ, LORSQUE J'ÉTAIS EN MAUVAISE POSTURE...

OUAIS... C'EST VRAI QU'IL A CHANGÉ, IL EST DEVENU PLUS COURAGEUX...

SI ZABUZA EST EN VIE, IL PEUT NOUS ATTAQUER À N'IMPORTE QUEL MOMENT ! CE N'EST PAS LE MOMENT DE NOUS ENTRAÎNER...

MAIS MAÎTRE !!

VOUS ALLEZ VOUS ENTRAÎNER PENDANT QUE JE RÉCUPÈRE...

MAIS CE N'EST PAS UNE RAISON POUR VOUS REPOSER !

ET NOUS, ON EN PROFITE POUR S'ENTRAÎNER !

CA DEVIENT AMUSANT !!!

... IL AURA, LUI AUSSI, BESOIN D'UN PEU DE TEMPS POUR SE REQUINQUER.

RASSURE-TOI, NOUS N'AVONS RIEN À CRAINDRE POUR L'INSTANT.

S'IL ÉTAIT EN LÉTHARGIE...

C'EST QUI, CETTE DEMI-PORTION ?!

?! !!

MOI, JE NE TROUVE PAS ÇA AMUSANT DU TOUT...

PLOM

INARI ! OÙ ÉTAIS-TU PASSÉ ?!

SALUT, PÉPÉ !

...

CE SONT LES NINJAS QUI ONT ESCORTÉ TON GRAND-PÈRE JUSQU'ICI !

INARI ! DIS BONJOUR À NOS INVITÉS !

ALLONS, ALLONS ! C'EST PAS GRAVE ! HEIN, INARI !

GRRRR

EXCUSEZ-LE...

SLAM

...

OH...

JE VAIS LUI DONNER UNE BONNE LEÇON !

QUELLE TÊTE DE LARD, CE GAMIN !

IL PLEU-RE....?!

...

!!

LIIH...

LIIH...

LIIH...

BIEN ! NOUS ALLONS POUVOIR COMMENCER L'ENTRAÎNEMENT !

... JE VAIS VOUS PARLER UN PEU DU CHAKRA.

MAIS D'ABORD...

OUAIS!!!

BLOM

COMMENT PEUX-TU ÊTRE NINJA SANS SAVOIR CE QU'EST LE CHAKRA ?! QU'EST-CE QUE TU FAISAIS PENDANT LES COURS ?!

ZAM !

CA ME DIT QUELQUE CHOSE... J'AI DÉJÀ ENTENDU ÇA QUELQUE PART...

?? DITES ! DITES !

C'EST QUOI LE CHAKRA ?

HÉ BIEN... CA NE VA PAS ÊTRE SIMPLE...

BAH... EN GÉNÉRAL, JE DORMAIS... SURTOUT PENDANT LES COURS UN PEU TROP COMPLIQUÉS...

Hé Hé

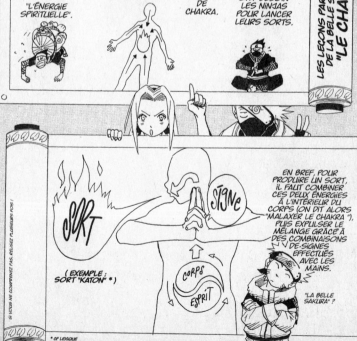

MAIS DE TOUTE FAÇON, C'EST QUELQUE CHOSE QU'ON APPREND EN PRATIQUANT !

PEUH ! J'AI RIEN COMPRIS !

GRRR !

IRUKA EST UN VEINARD D'AVOIR EU UNE ÉLÈVE COMME TOI DANS SA CLASSE !

C'EST EXACTEMENT ÇA.

HÉHÉ !

エッヘン

VOUS ÊTES ENCORE LOIN DE MAÎTRISER VOTRE CHAKRA !

DÉ-TROM-PEZ-VOUS.

D'AILLEURS, NOUS SAVONS DÉJÀ PRODUIRE DES SORTS...

NARUTO A RAISON...

ÉCOUTEZ-MOI...

!

HEIN ?!

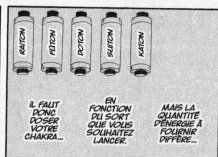

ET C'EST UN ENTRAÎNEMENT PARTICULIÈREMENT RISQUÉ ET ÉPROUVANT !

IL N'Y A QU'UN SEUL MOYEN D'APPRENDRE À CONTRÔLER LE CHAKRA : L'ENTRAÎNEMENT !

QUE... QUE DOIT-ON FAIRE ALORS ?

VOUS AUREZ ALORS UTILISÉ INUTILEMENT VOTRE ÉNERGIE, CE QUI PEUT S'AVÉRER FATAL LORS D'UN COMBAT.

HÉHÉ

DE... DE QUOI S'AGIT-IL AU JUSTE ?

DE GRIMPER AUX ARBRES !!

HUM ?

Termes techniques

Naruto est décidément un manga qui renferme de nombreux mystères. Tant dans l'histoire elle-même que dans les termes spécifiques employés. Nous en avions déjà eu un aperçu dans le volume précédent avec les noms des personnages. Aussi souvent que cela sera nécessaire, nous vous offrirons un lexique se rapportant au vocabulaire des ninjas rencontré dans "Naruto".

p.7 : "Nindô" = la voie du ninja

On retrouve dans ce mot le **"nin"** de ninja et le **"dô"**, suffixe que vous avez certainement déjà remarqué dans d'autres arts martiaux tels que **judô** ou **aïkidô** pour les plus connus.

p.34 : "Des ramens au miso"

En japonais, **"ramens"** est le nom donné aux nouilles accompagnées de soupe servies dans un large bol. Le **miso** quant à lui est une pâte de soja, très salée, diluée dans la soupe pour lui donner du goût.

p.41 : Le nom des villes

Vous avez remarqué que chaque ville porte un nom un peu particulier.
En réalité, en japonais, chacune d'elles renvoie à un élément de la nature à travers la graphie ou le mot en lui-même et sa signification en japonais.
Nous avons déjà vu les villes de **Konoha**, de **Kiri**, de **Kumo**, de **Suna** et d'**Iwa** qui sont parmi les plus puissantes.
En japonais, **konoha** signifie la feuille de l'arbre, **kiri** désigne le brouillard, **kumo** les nuages, **suna** le sable et **iwa** le rocher.

Le nom des titres des maîtres ninjas

Dans Naruto, les noms des titres des maîtres ninjas renvoient encore une fois tous à la nature. Ils sont composés d'un suffixe qui ne varie pas (**kage** qui signifie l'ombre), précédé d'un idéogramme qui change selon le personnage. Ainsi pour **Hokage** "ho" désigne le feu; pour **Mizukage**, "mizu" signifie l'eau; pour **Raikage**, "rai" désigne la foudre; pour **Kazekage**, "kaze" veut dire le vent; pour **Tsuchikage**, "tsuchi" signifie la terre.

p.65 : "Kunai"

Comme vous avez pu le constater sur les images, le **Kunai** est un dard métallique ninja.

p.93 : On découvre sur cette page différentes techniques :

- **"Sharingan"** : si le terme est expliqué par les personnages, on peut ajouter qu'il se compose de trois idéogrammes : **sha** (reproduire, copier) ; **rin** (un cercle) ; **gan** (la vue).

En japonais, l'idéogramme correspondant au mot **justu**, lorsqu'il est employé comme suffixe, désigne la technique.

Ainsi : - **"dôjutsu"** - "art d'utiliser les pupilles"
- **"genjutsu"** - "art d'utiliser l'illusion"
- **"taijutsu"** - "art d'utiliser le corps"
- **"ninjutsu"** - "art ninja"

p.97 :

Ninpô : Le suffixe **"pô"** servant à exprimer une manière de faire, **ninpô** signifie : "technique ninja".

p.112 :

Les **makibishis** sont des sortes de petites étoiles à trois branches très acérées, qu'on lance sur le sol, pour empêcher la progression de l'adversaire.

p.140

- **Shuriken fûma** : fûma est le nom d'un célèbre clan de ninjas.
- **Kage-fûsha** : "moulin d'ombre".

p.187 :

Les **taiyakis** sont des gâteaux en forme de poisson, fourrés à la pâte de haricots rouges. Très appréciés des enfants, le fourrage a évolué avec le temps et on peut aujourd'hui trouver des taiyakis à la banane, à la saucisse, goût pizza, goût saumon, etc.

p.204 :

- **Katon**** "art d'utiliser le feu" (·p202)
- **Suiton**** "art d'utiliser l'eau" (· p155)
- **Doton**** "art d'utiliser la terre"
- **Fûton**** "art d'utiliser le vent"
- **Raiton**** "art d'utiliser la foudre"

NARUTO

© KANA 2002
© KANA (DARGAUD-LOMBARD s.a.) 2008
7, avenue P-H Spaak - 1060 Bruxelles
11ème édition

© 1999 by Masashi Kishimoto
All rights reserved
First published in Japan in 1999 by Shueisha Inc., Tokyo
French language translation rights in France arranged by Shueisha Inc.
Première édition Japon 1999

Dépôt légal d/2002/0086/69
ISBN 978-2-8712-9417-7

Conception graphique : Les Travaux d'Hercule
Traduit et adapté en français par Sylvain Chollet
Adaptation graphique : Eric Montésinos

Imprimé en Italie par G. Canale & C. S.p.A. - Borgaro T.se (Torino)